懶懶

2

陽菜檸檬

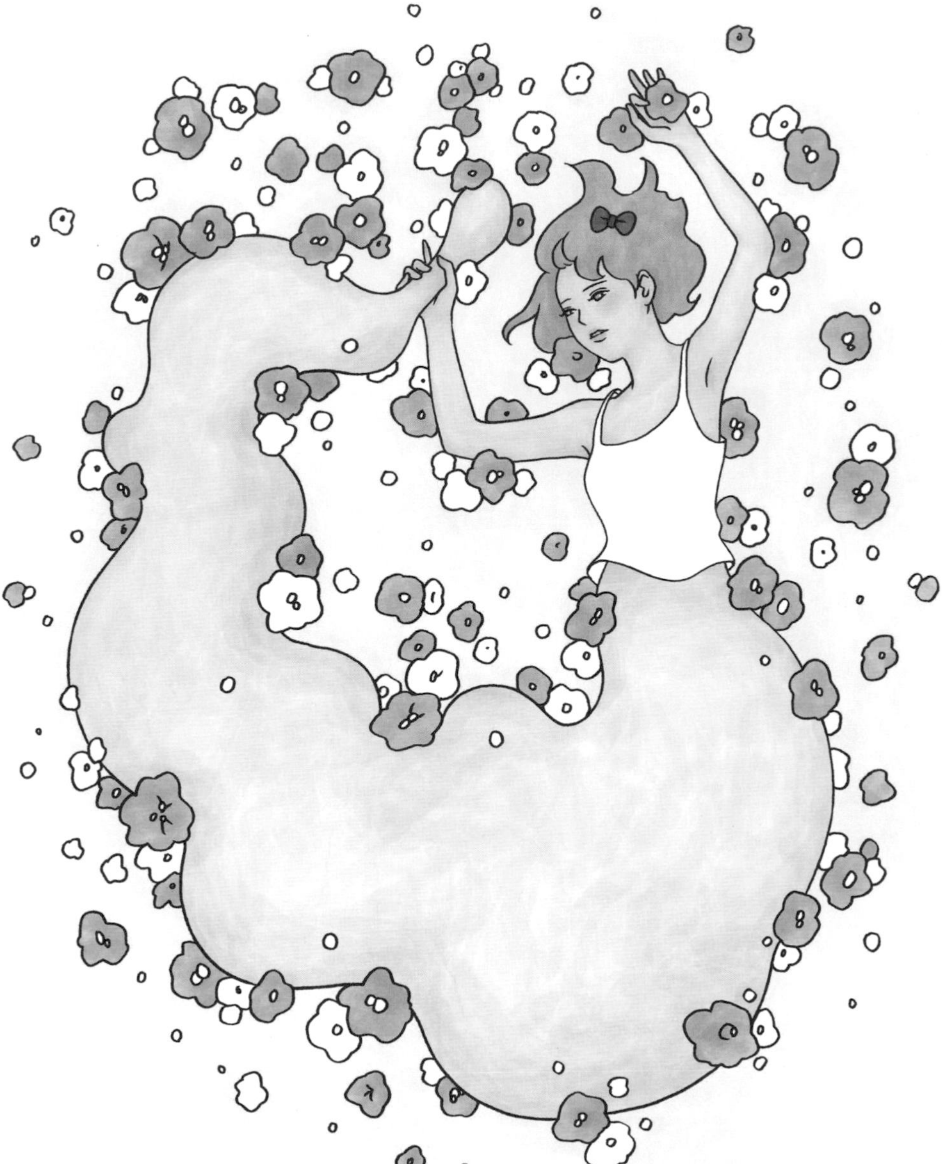

啊，不嫌棄的話，
床給妳睡。
要好好蓋上棉被喔，
以免感冒。
我睡這裡的沙發就行了，
不用顧慮我。
你……
你不會
覺得我很噁心嗎？

不會，
我不覺得妳噁心。
淚如雨下
淚如雨下
嗚……
拉

不好意思，雖然因為這雙腿，
讓我沒辦法像公主抱那樣
帥氣地抱妳起來。
蓋好
別想太多，
請好好地睡一覺。

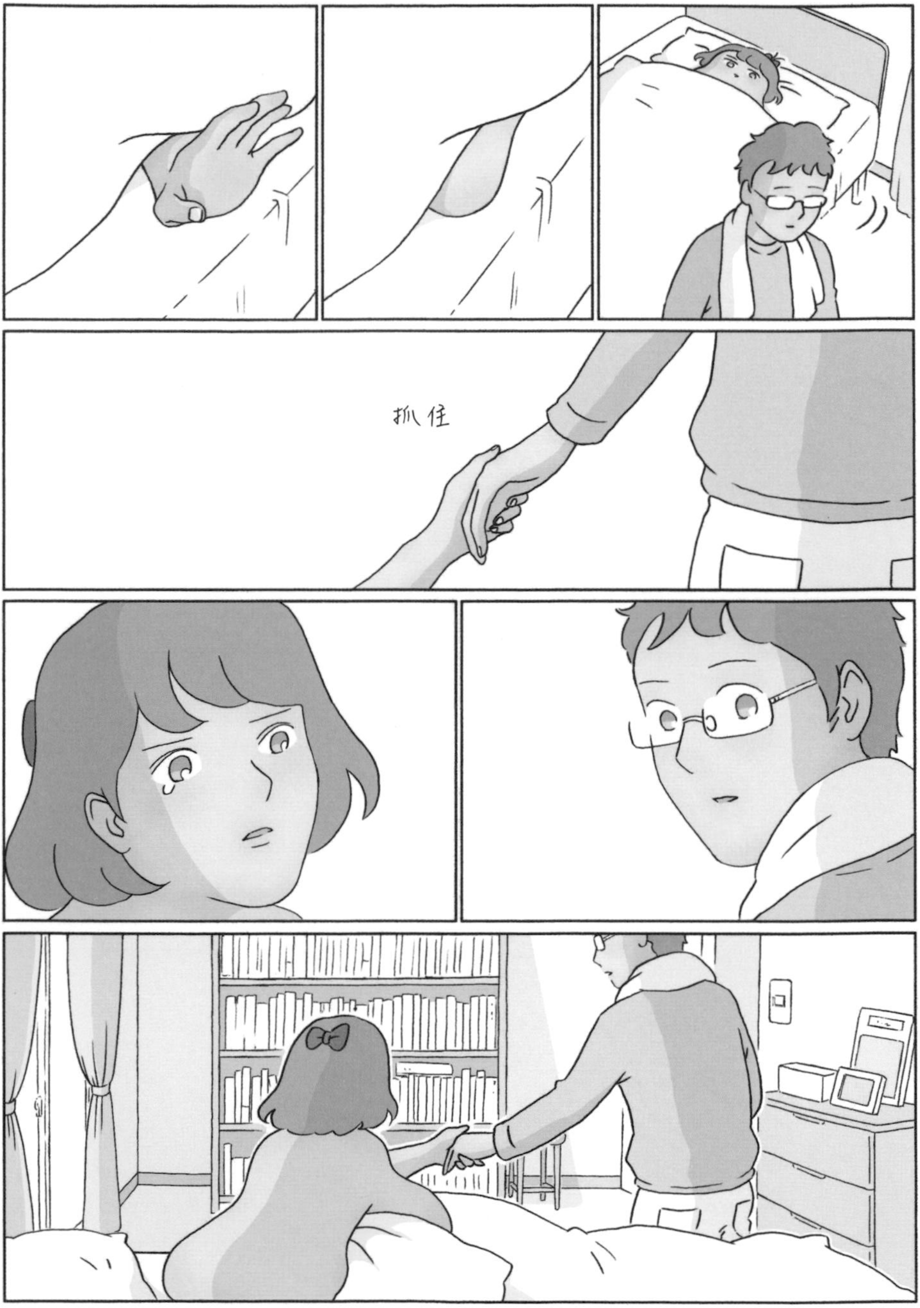
抓住

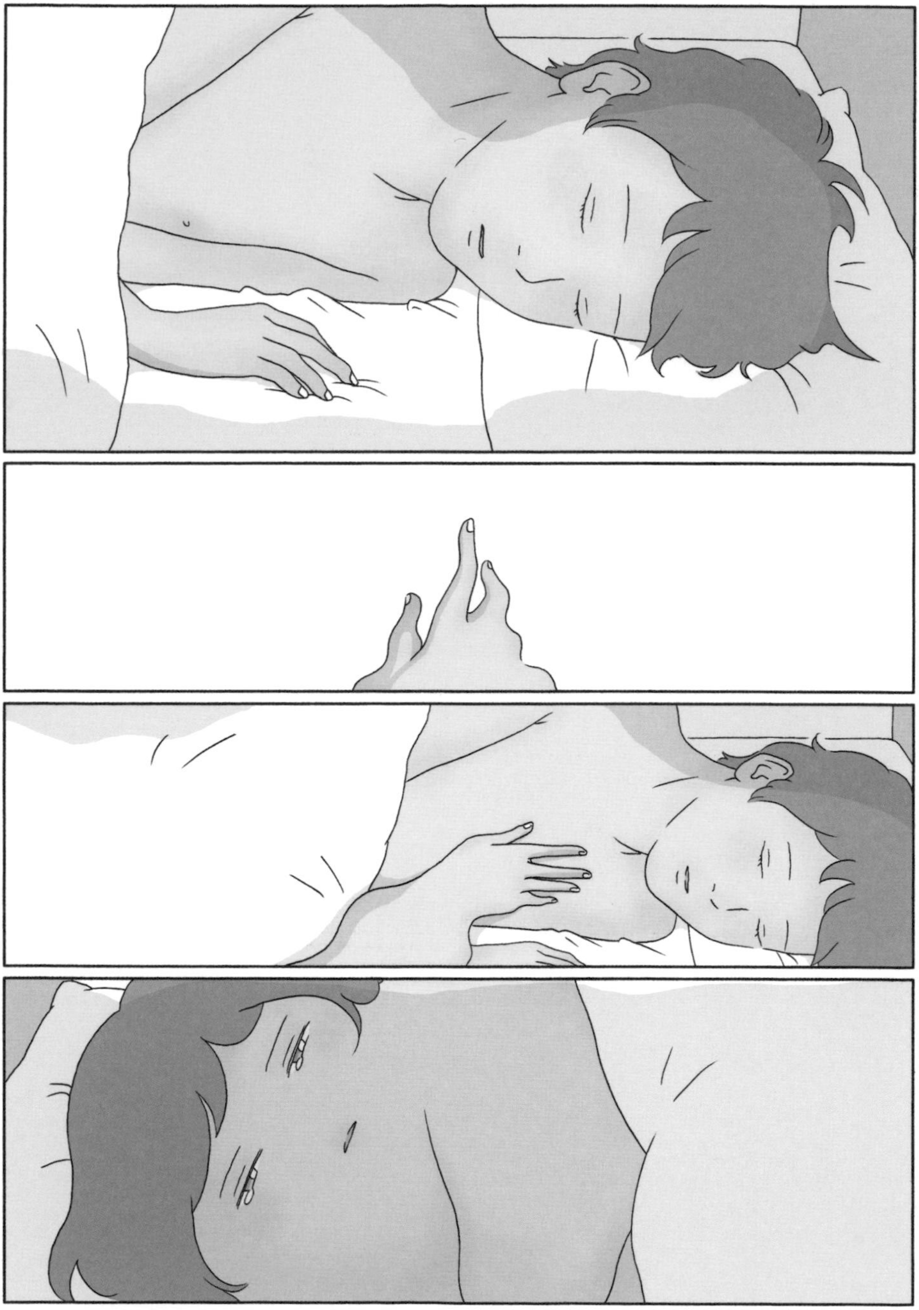

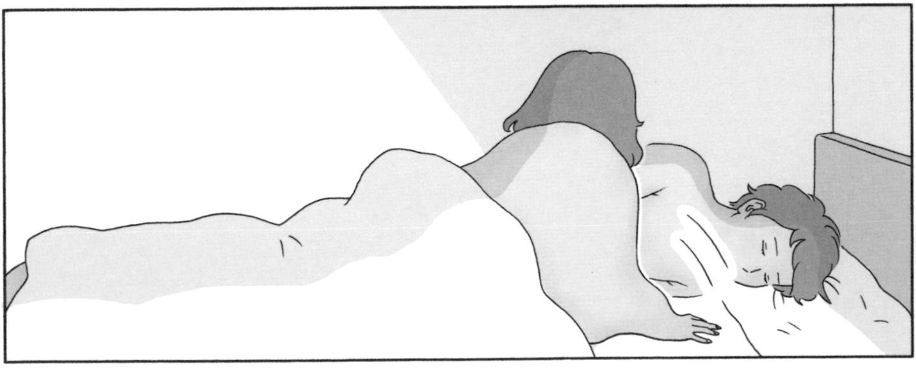

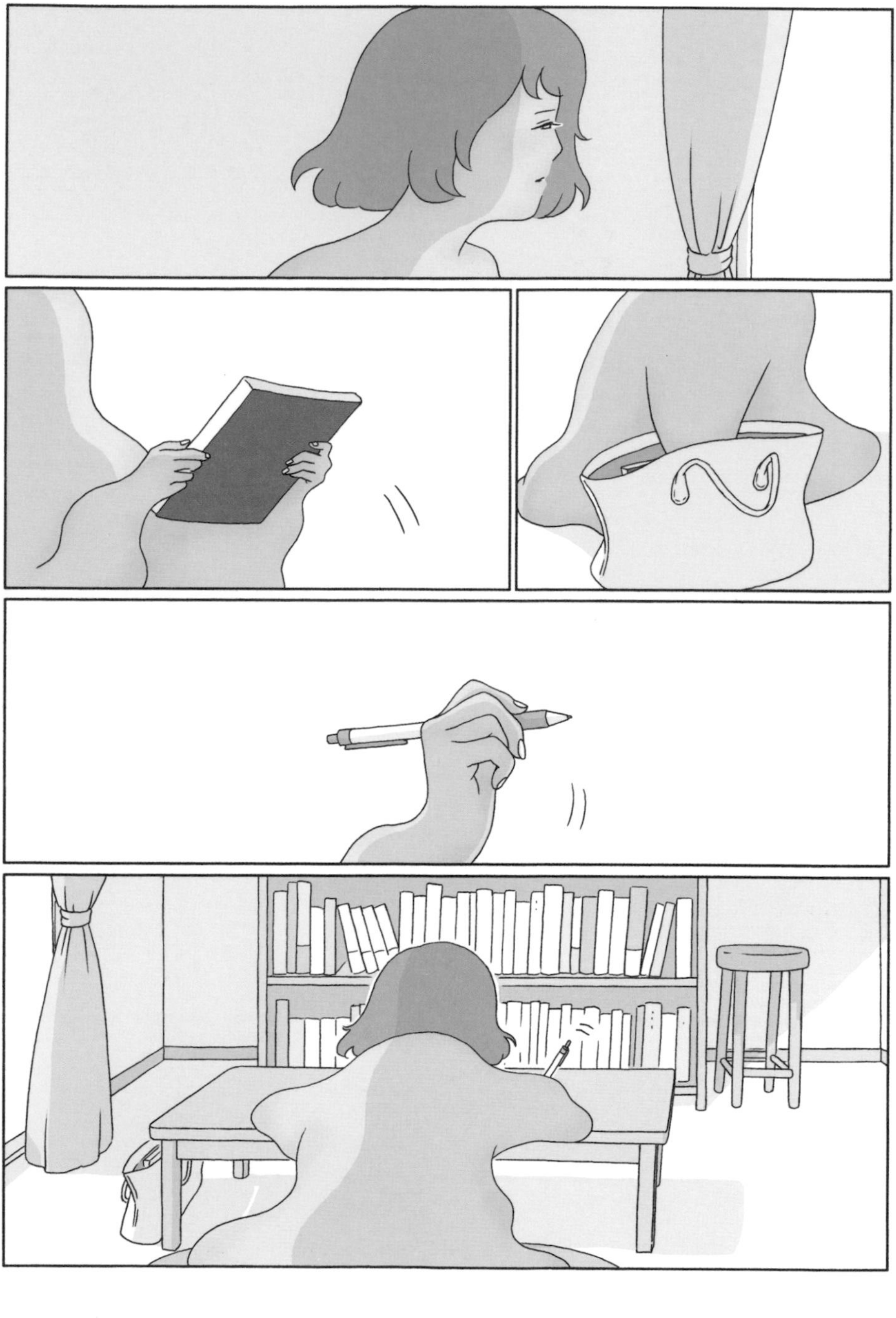

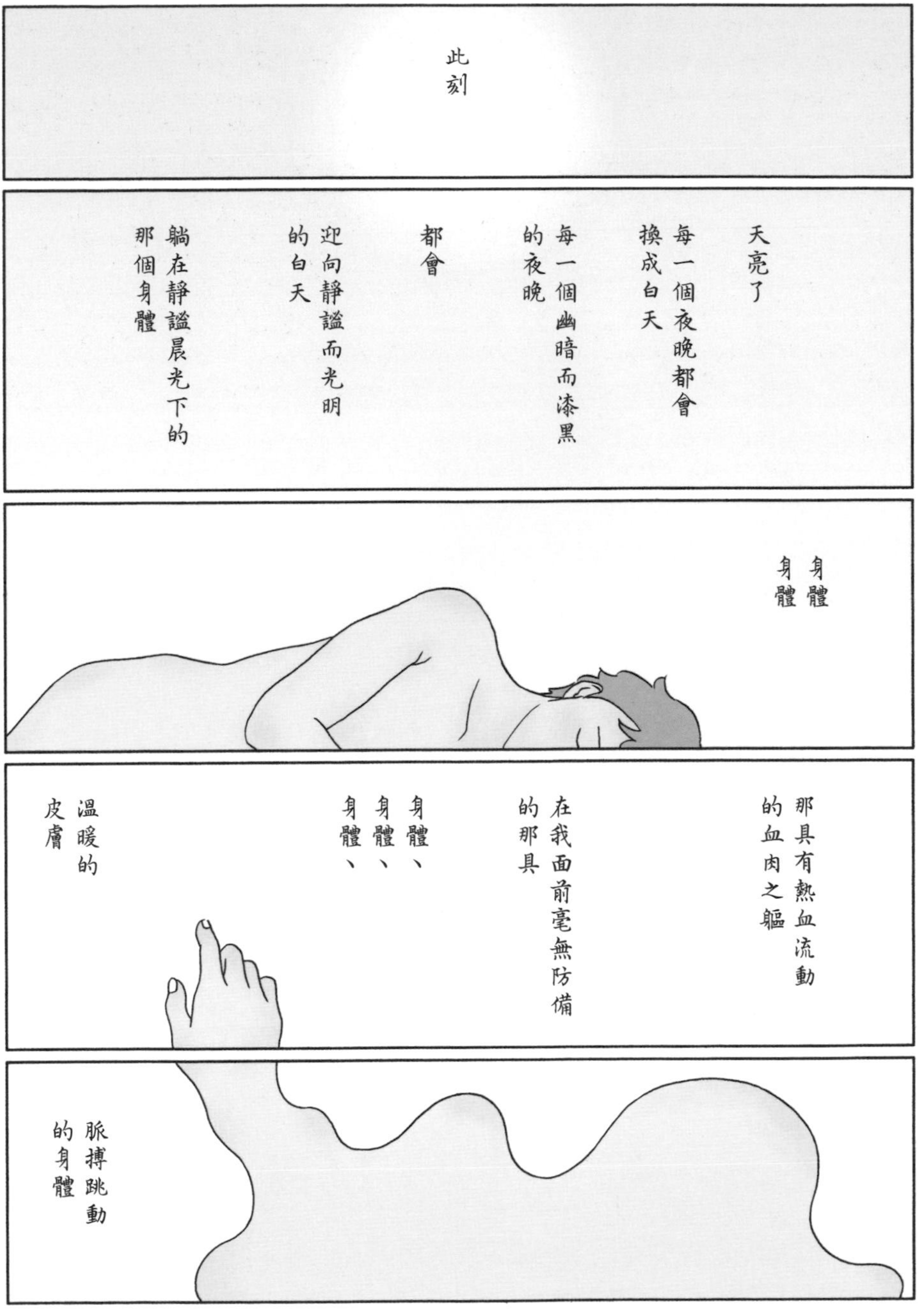
此刻
天亮了
每一個夜晚都會
換成白天
每一個幽暗而漆黑
的夜晚
都會
迎向靜謐而光明
的白天
躺在靜謐晨光下的
那個身體
身體
身體
那具有熱血流動
的血肉之軀
在我面前毫無防備
的那具
身體、
身體、
身體、
溫暖的
皮膚
脈搏跳動
的身體

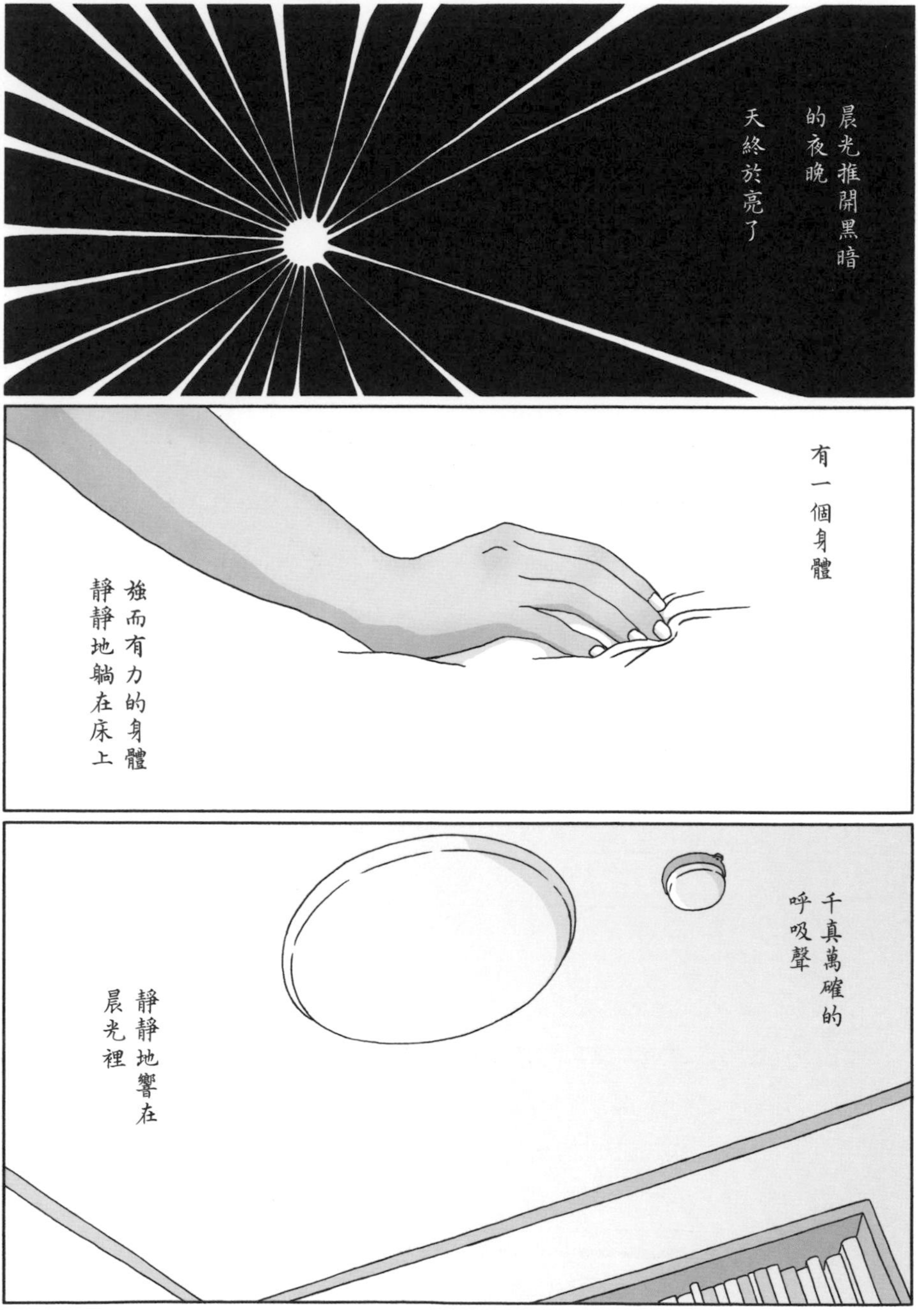
晨光推開黑暗
的夜晚
天終於亮了
有一個身體
強而有力的身體
靜靜地躺在床上
千真萬確的
呼吸聲
靜靜地響在
晨光裡

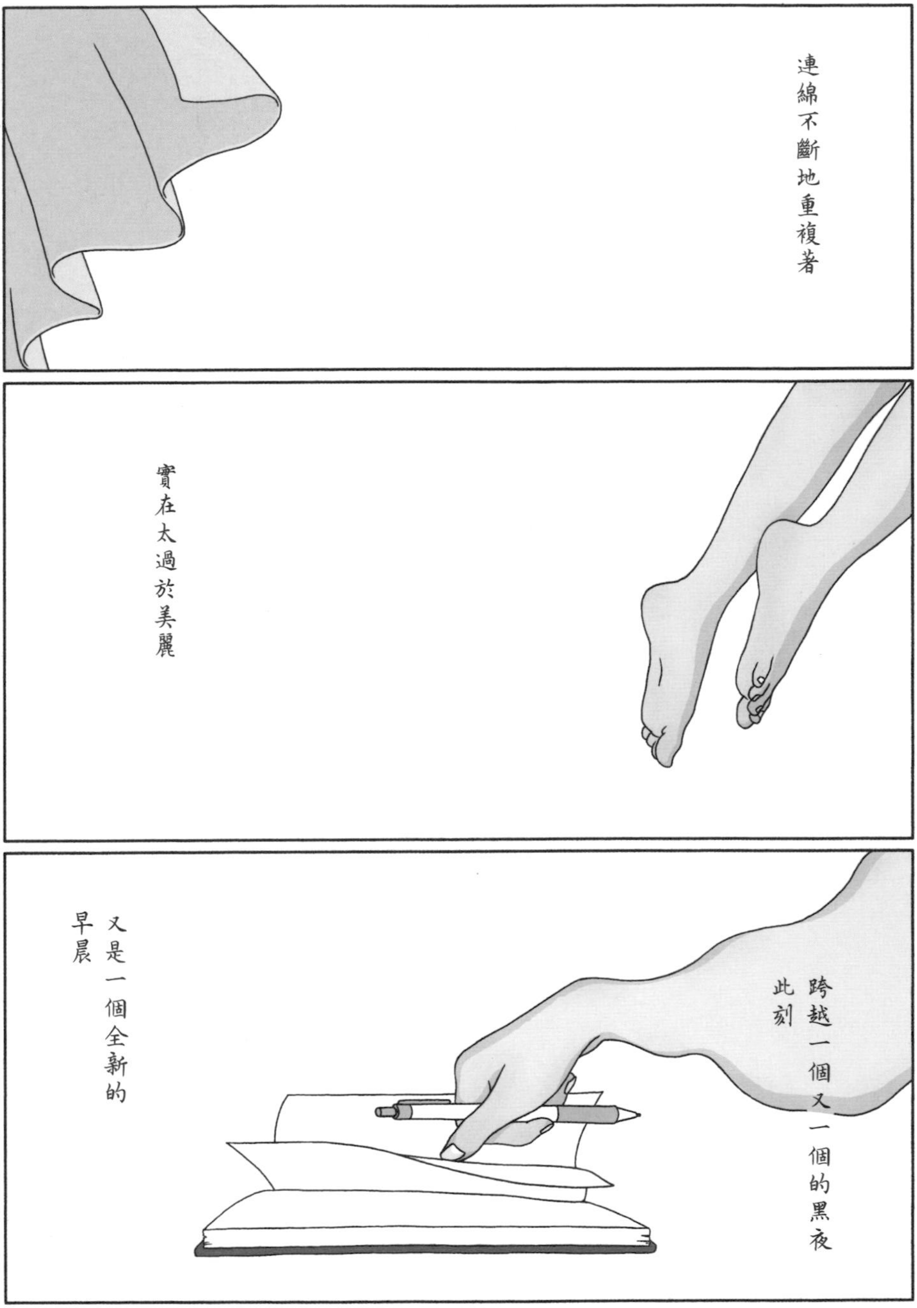
連綿不斷地重複著
實在太過於美麗
跨越一個又一個的黑夜
此刻
又是一個全新的
早晨

文字
源源不絕地湧上來。
筆記
我終於能放開
那些一直擁在懷裡的
沉甸甸的東西
那就是
早安。
早安。
早。

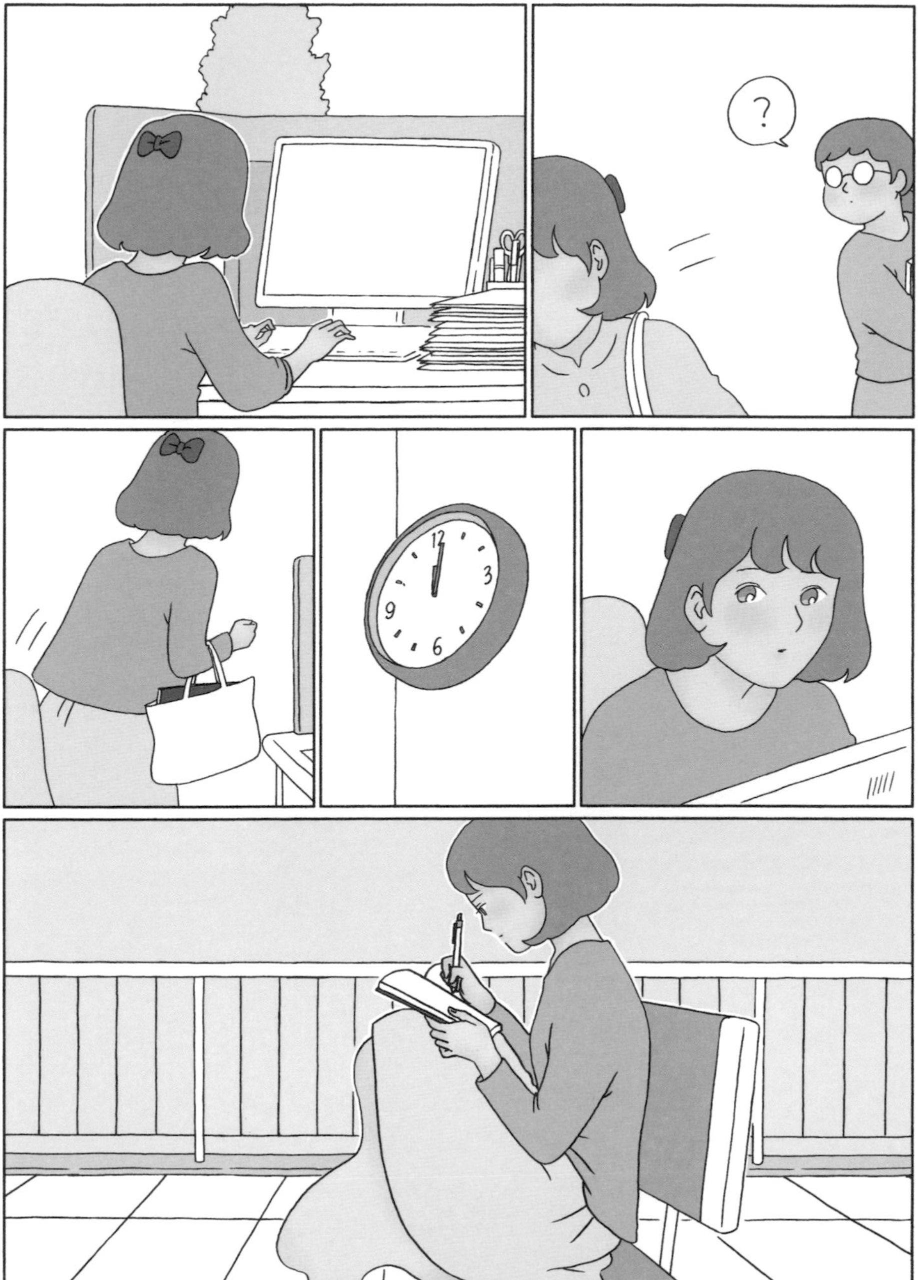

呼
妳果然
吸——
還是想寫詩吧。
很好啊，很好啊！
呵呵呵。
點頭

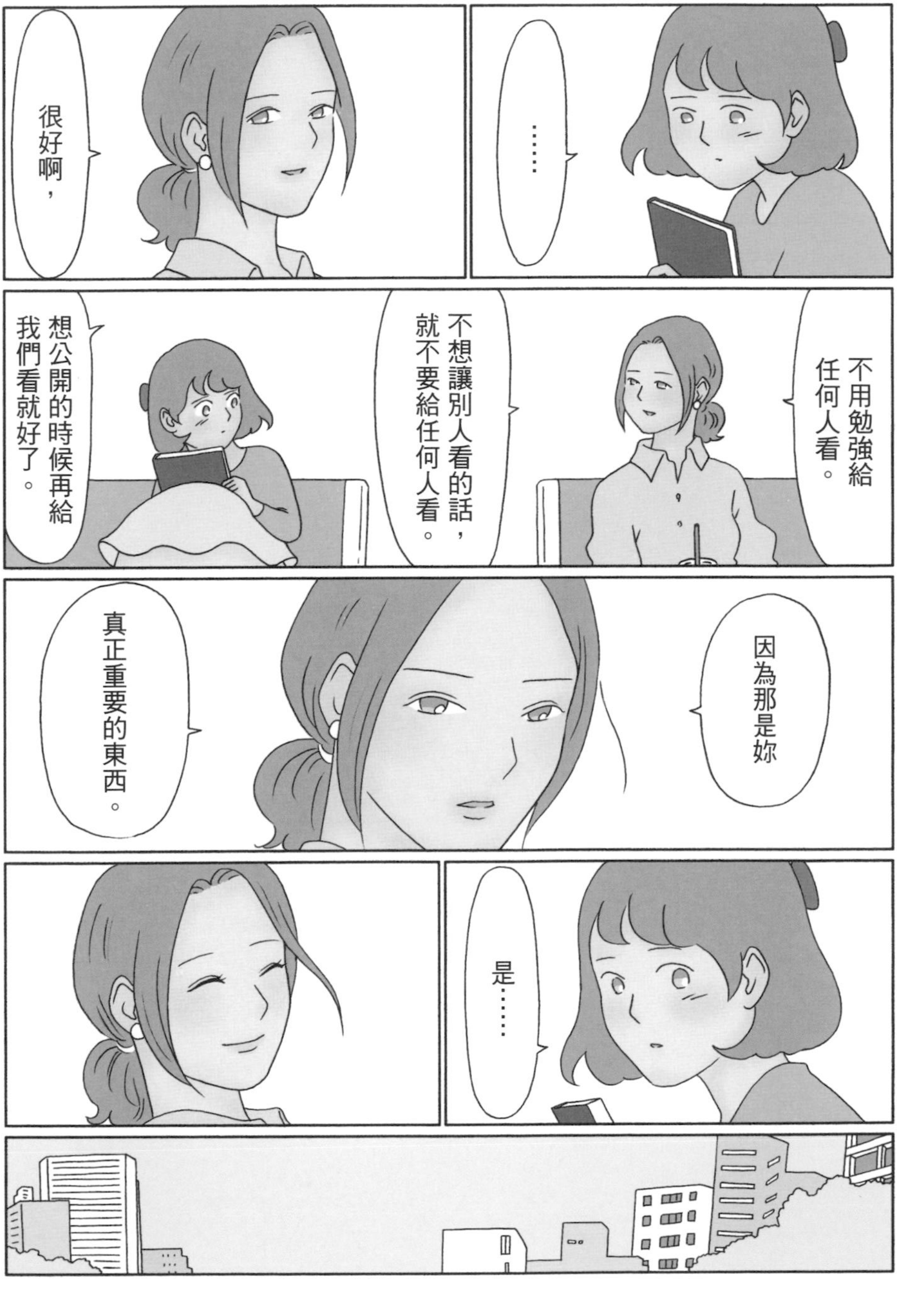
……
很好啊，
不用勉強給任何人看。
不想讓別人看的話，就不要給任何人看。
想公開的時候再給我們看就好了。
因為那是妳
真正重要的東西。
是……

我有了
喜歡的人，
而且
那個人也喜歡我。

這真是奇蹟。
握緊
接下來呢？
去哪裡走走吧？
嗯。
一般人像這種時候，
大概會去可以看到漂亮夜景的餐廳
或者是很有情調的酒吧
類似這樣的地方吧，
抱歉
我對這方面不太了解。
只能利用中午休息時間，
上網查了一下……
妳看看這家店如何？
聽說在情侶之間很有名。
都好。

不管別人都去什麼地方，
什麼東西有名，這些我都不在乎。
不管是河邊，還是路邊，什麼地方都好，
這些都不是重點，
只要跟能你在一起，
我就心滿意足。
嗯。

不管其他人怎麼想，
不管其他人怎麼說，
重點只有一個，
那就是
我現在非常幸福，
僅此而已。

那個……
佐藤小姐啊，
嗯，
會計部的？
對，
她說你非常優秀喔。
欸，
真的嗎？
呃……有嗎？
佐藤小姐都這麼說了肯定不會錯。
呵呵呵，
妳很信賴佐藤小姐呢。
嗯，
她是個非常好的人。
我也
認為佐藤小姐是好人。
對吧！
哈哈哈，
妳好激動。
我是開心！
我們是朋友……
這樣啊，
她是妳很重要的人呢。
嗯！

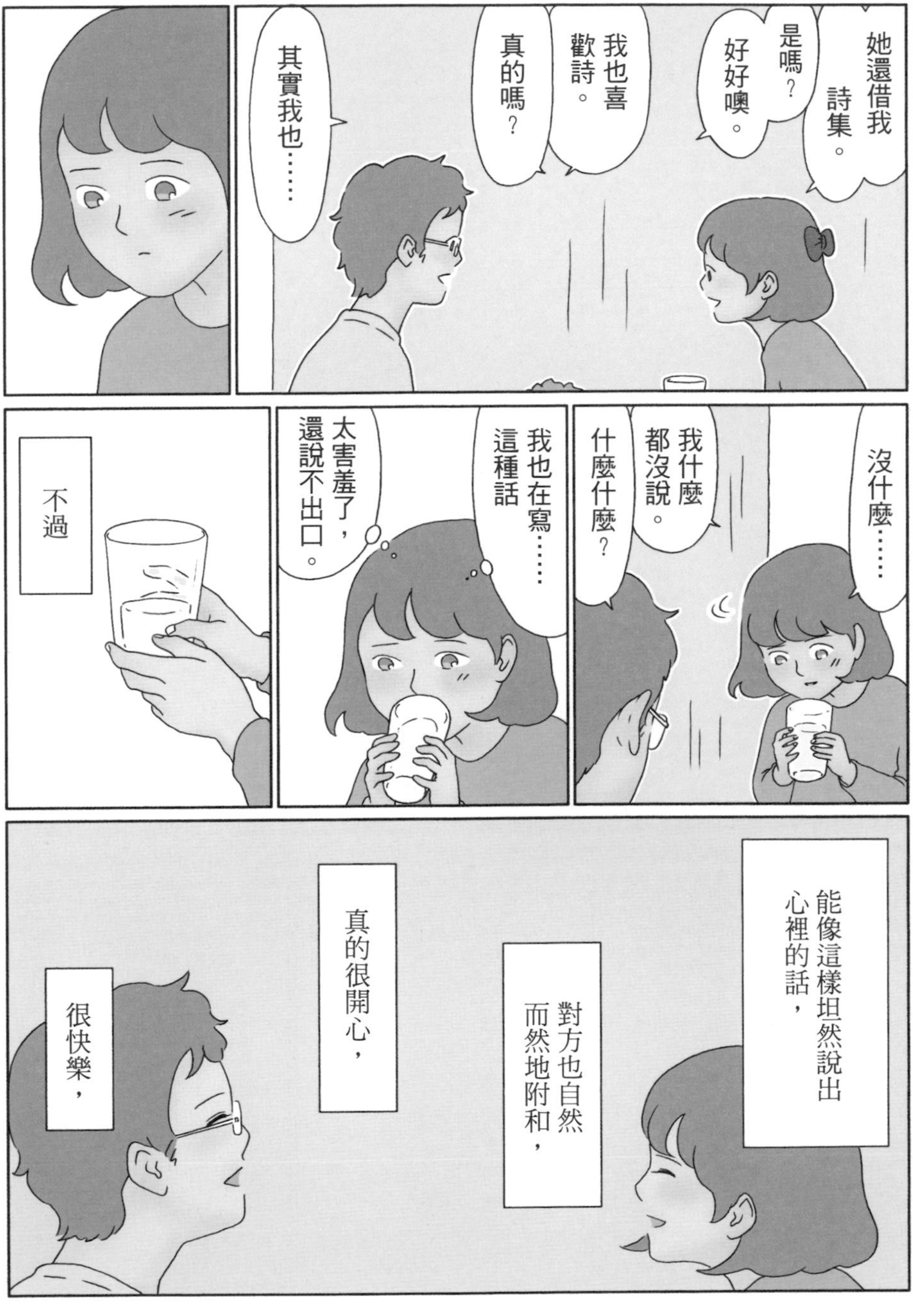
她還借我詩集。
是嗎？好好噢。
我也喜歡詩。
真的嗎？
其實我也……
沒什麼……
我什麼都沒說。
什麼什麼？
我也在寫這種話……
太害羞了，還說不出口。
不過
能像這樣坦然說出心裡的話，
對方也自然而然地附和，
真的很開心，
很快樂，

很幸福。
啊……說到佐藤小姐，
我上次在街上看到她，
和男人走在一起。
看起來很親密，
該不會是男朋友吧？
嗯？怎麼了？
沒什麼……
我只是希望
佐藤小姐能得到幸福。
這樣啊……
嗯。
妳把我們的事告訴佐藤小姐了嗎？

還沒有，
可以說嗎？
可以……
如果是佐藤小姐的話……
就跟妳希望她能得到幸福那樣，
她肯定也希望妳能得到幸福，
我猜她是這麼想的。
嗯，
你說的對。

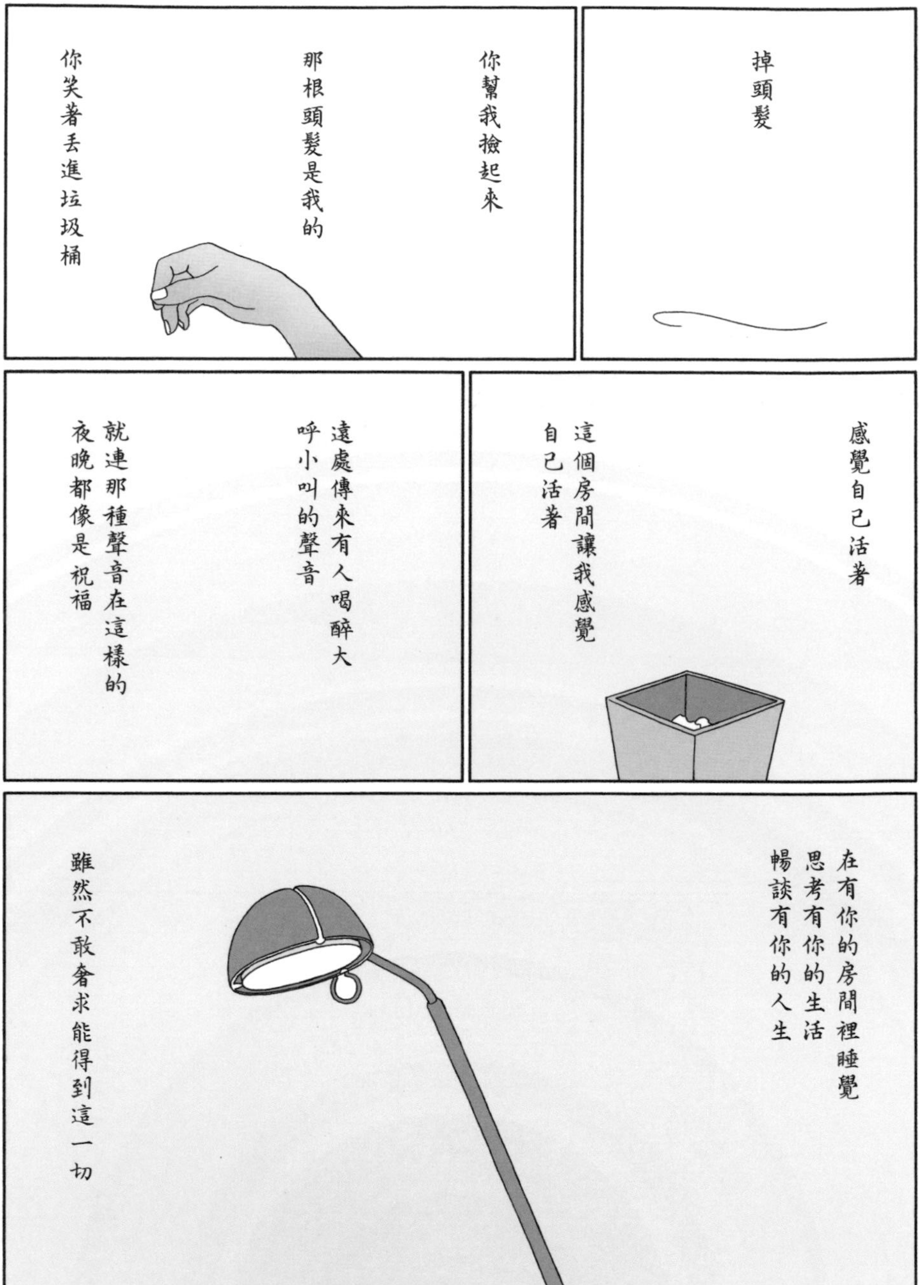
掉頭髮
你幫我撿起來
那根頭髮是我的
你笑著丟進垃圾桶
感覺自己活著
這個房間讓我感覺
自己活著
遠處傳來有人喝醉大
呼小叫的聲音
就連那種聲音在這樣的
夜晚都像是祝福
在有你的房間裡睡覺
思考有你的生活
暢談有你的人生
雖然不敢奢求能得到這一切

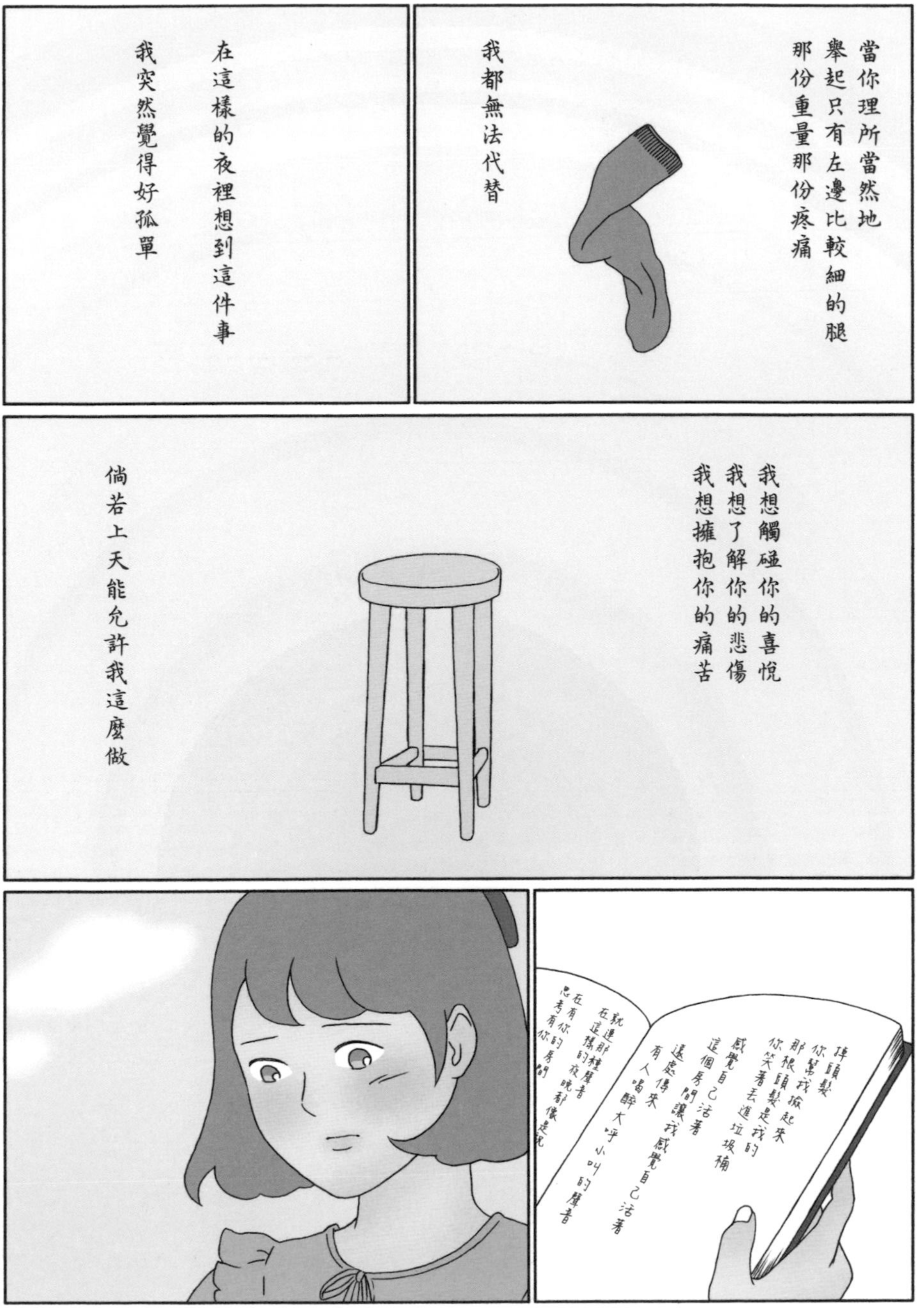

當你理所當然地
舉起只有左邊比較細的腿
那份重量那份疼痛
我都無法代替
在這樣的夜裡想到這件事
我突然覺得好孤單
我想觸碰你的喜悅
我想了解你的悲傷
我想擁抱你的痛苦
倘若上天能允許我這麼做
掉頭髮
你幫我撿起來
那根頭髮是我的
你笑著丟進垃圾桶
感覺自己活著
這個房間讓我感覺自己活著
遠處傳來
有人喝醉大呼小叫的聲音
就連那種聲音
在這樣的夜晚都像是

嗯，
我看完了。
闔上
謝謝。
哇啊～
我不行了，喘不過氣來～
是嗎？
嗯，真的很不好意思。
很無聊吧，這種詩……
才不無聊呢。

一點也不無聊，
絕對不無聊。
是嗎……
謝謝妳讓我看。
這裡……這個
「你」該不會是指
廣瀨老弟吧？
人喝醉大
就連那種聲音
在這樣的夜晚都
像是
在有你的房間裡睡覺
思考有你的生活
暢談有你的人生
不敢奢求能一切
欸！
這個描寫左腳的地方
指的是廣瀨老弟吧？
呃，那個……
啊，嗯，沒錯……
就是他……
這樣啊，
妳現在很幸福呢。
點頭

從這首詩能充分感受到妳的幸福喔。
呵呵，我也替妳高興。
話說……妳有沒有考慮過
發表一些妳寫的詩？
咦？
發表？我的詩？
沒錯。
現在網路上經常在徵求詩作，一般人也可以參加。
欸……
我很喜歡妳寫的詩，真的喔。
內容很真實，充滿想像空間。
感覺妳寫的事都是真的，很感人。
感動

怎麼了？
沒什麼。只是
我是第一次
像這樣
赤裸裸地讓別人
看見
自己的內心世界……
萬一，
萬一被否定，
我一定
會覺得活不下去……
嗯嗯，
這樣啊。
嗯嗯。
謝謝妳鼓起
勇氣讓我看。
不過不要
緊的，
妳寫得很棒。
別擔心。
感覺就像是妳
一五一十地
表現出真實
的自己喔。

一五一十地表現出
真實的
自己
原來是一件這麼棒的事。
這是真的嗎？
沒騙我？
呵呵呵。老實說，
我也有
喜歡的人了。

是我大學學弟，
我們一直是朋友，
所以他也知道我以前的事。
還說想跟我結婚。
呵呵，
我們明明連交往都還沒有開始。
就連我說我已經沒辦法生小孩了，
他也說沒關係。
沒想到居然會有人這樣對我說，
嚇了我一跳，
居然會有人願意接受這樣的我，
真是連作夢也想不到。
佐藤小姐……
佐藤小姐
是個好女人。
我很高興佐藤小姐能得到幸福，
真的。
嗯，
嗯……
謝謝妳。
謝謝。

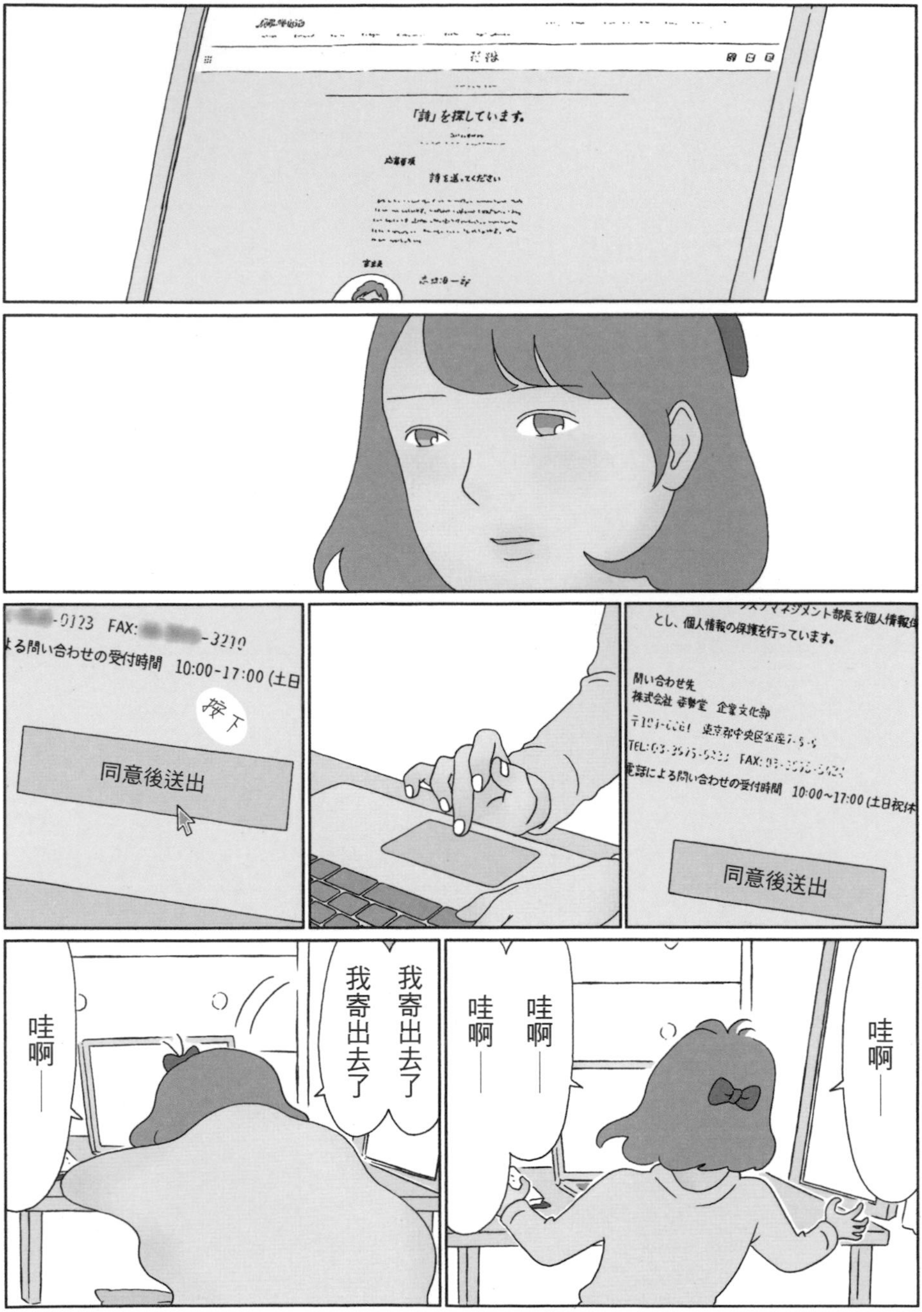
「詩」を探しています。
詩を送ってください
とし、個人情報の保護を行っています。
問い合わせ先
株式会社
企業文化部
電話による問い合わせの受付時間 10:00~17:00 (土日祝休
同意後送出
よる問い合わせの受付時間 10:00-17:00 (土日
按下
同意後送出
哇啊——
哇啊——
哇啊——
我寄出去了
我寄出去了
哇啊——

……
可是……
可是啊……
關上
沒關係……
落選也沒關係，
我已經努力過了。
畢竟我才剛開始寫詩，還有很大的進步空間，
往後也還有很多機會。
呼——
可是
總覺得
好緊張啊！
那個……
妳們知道嗎？

聽說二課的丸山小姐和廣瀨老弟啊……
哦，妳是說他們眉來眼去的事嗎？
那是真的嗎？
真是的，不要隨便看到影子就開槍。
不是啦！
我前幾天在路上看到了，
雖然只有背影。
但肯定是那兩個人不會錯！
欸，真的嗎？
探頭
竊竊私語
可是啊，那有什麼關係，兩個年輕人……
別說了，
哎呀。
真不好意思啊！
呵呵呵。
先走了~
呵呵呵呵呵呵
……

這家店好有情調。
嗯，對呀。
可是還真稀奇啊。
什麼？
沒什麼，
居然特地跑來這麼遠的餐廳。
而且也是第一次約在店裡碰頭，
所以我覺得很稀奇。
哦……
說的也是，
抱歉讓妳大老遠跑來。
沒關係，我不是這個意思，
我很喜歡這家店。
難道是心情上有什麼變化嗎？
咦？
啊……
嗯……
沒什麼，
沒什麼特別。
只是
我猜妳可能會喜歡這家店。
呃——
呵呵呵。
嗯，
我喜歡，
你挑的我都喜歡。
呵呵。

不好意思，
還讓妳來幫忙……
別這麼說。
我也沒想到會這麼突然決定要搬家……
呵呵呵，計畫趕不上變化呢。
就是說啊！
剛好這個房間的租約也到期了，
我本來想續約，再過一段悠閒的時光，
但他提議要一起住，
說還有多的房間，要我搬過去，
莫名其妙！
結果居然說今天要工作不能來幫忙，
什麼意思嘛！
呵呵。
我以為……

我還以為這輩子都要自己一個人過。
為了變成獨居老人也不至於流落街頭，我還買了保險，也存夠了錢，家具和家電都買一個人用就綽綽有餘的型號，
打算一個人自立自強地過完下半生。
沒想到人生會在意料之外的時間點出現轉折，
一切都好突然，感覺就像坐上了雲霄飛車。
原來人生……
還有這麼多可能性啊。
原來是我限制了自己，把自己封鎖在自以為是的框架裡，
或許人生的道路比我以為的更加寬廣，
我不禁這麼想。

啊，我跟他提起過妳的事，
他說很想見妳一面，我也希望你們認識。
因為你們有些地方很像。
欸……我嗎？
真的嗎？
真的，
我想介紹你們認識。
啊，乾脆也找廣瀨老弟來，四個人一起約會如何？
好，我問他有沒有空……
啊，不過，考慮到廣瀨老弟的腿，
不能去遊樂園之類的地方吧。
啊……
上次我們一起去了澀谷的咖啡廳，
是一家很有情調的店。

是嗎？
那就去那裡吃飯如何？
好啊好啊，好主意。
啊，我這裡有那家店的照片。
欸~嗯，看起來好可愛，想去。
叮咚
啊！
妳好像收到電子郵件了。
妳瞧
啊，真的耶。
丸山成美様
この度はウェブ広告の
「『詩』をさがしています」に
ご応募くださいまして
ありがとうございました。
多数のご応募のなかから
厳正なる選考の結果
丸山さまの作品を
咦……
嗯？
怎麼啦？
佐藤小姐……妳看……
嗯？
這是——

我可以唸出來嗎？
我瞧瞧。
根據嚴格的甄選，我們決定在網站上刊登丸山小姐的作品……
欸！
該不會是
詩……？
懶懶，
了不起。
了不起了不起，
妳投稿的詩被選上了！
對，
那個，
雖然沒有獎金，
但是好像會變成「本月選詩」刊登在這個網站上……
好厲害！
妳好厲害！
這真是太厲害了！
太好了！
謝謝……
那個，
我有點驚訝……
還有點反應不過來。
恭喜妳！

我真替妳高興。
妳寫的詩很有力量，具有赤手空拳一決勝負的氣魄喔。
還有其他人也了解這一點，我真是太高興了。
謝謝……
可是，
不瞞妳說，我其實有點不滿意。
因為我知道自己還很不成熟。
這次投稿的作品也是，寄出去以後，我一直在想其實可以寫得更好一點，一直很後悔，覺得自己還有得學。
一路寫下來，我很清楚，
自己的詩還有很多不夠好的地方。

佐藤小姐，
我……
我想寫，
我想繼續寫詩。
大概還有很多需要學習的地方，
也必須
更認真、更誠實
地面對自己才行。
必須卸下所有的防備與掩飾，
才能寫出更好的詩。
其實我很害怕，
但
儘管害怕，
我還是
想知道寫出來以後會發生什麼事，
不是為了得到社會大眾的好評，

而是……
希望能……
更進一步，
該怎麼說
呢……
嗯……
嗯。
我明白。
這句話聽起
來可能有點
像隨口說說，
但我想我
真的明白。
妳也在
和世界戰鬥呢。

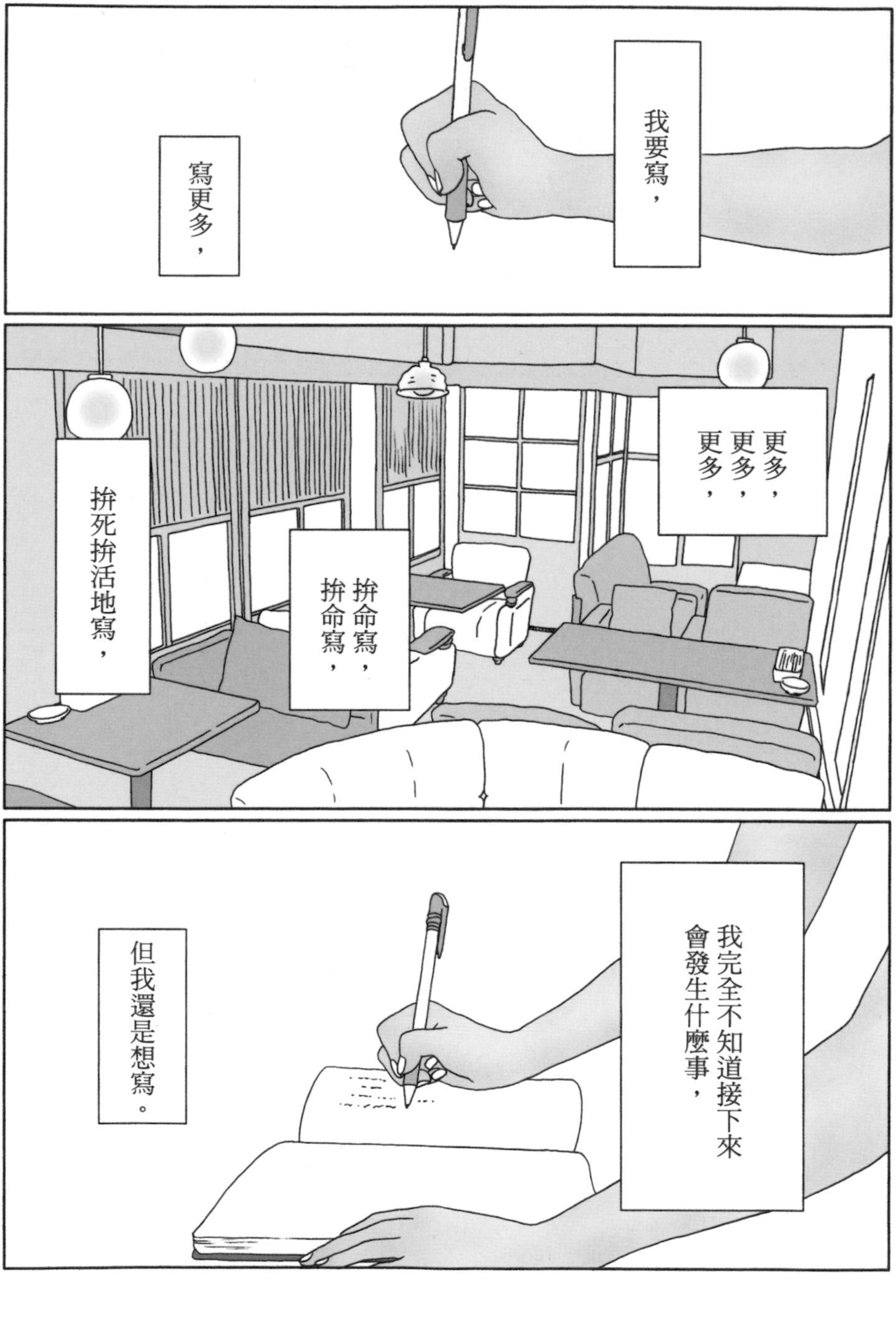
我要寫，
寫更多，
更多，更多，更多，
拚命寫，拚命寫，
拚死拚活地寫，
我完全不知道接下來會發生什麼事，
但我還是想寫。

抱歉，等很久嗎？
啊，沒有。
那是什麼？日記？
看妳寫得好認真。
啊，嗯……
那個，
我在寫詩……
欸？寫詩？
嗯。
沒錯，
我在寫詩。
哦，真的嗎？我都不曉得。
什麼樣的詩？
……

哇哇哇……
妳寫了好多，
真不簡單。
我寫了很久，
只不過……
只不過太丟臉了，
不好意思說。
好棒……
寫得好棒。
其實……
其中有一首詩投稿到網路上被選中了。
八月
會刊登在那個網站上。
真的嗎？
好厲害！
這是那首被選上的詩……

我
我寫詩
不是為了被什麼
東西選上，
啊，
也不是為了
獎金什麼的，
只是
我非常
非常開心。
所以我想繼續
寫下去，
就這樣。
啊……
抱歉，
都是我一個
人在講話。
而且還是些莫
名其妙的話。
不會……
我覺得……
妳很厲害……

點開
八月的詩
本月的詩
頭髮
2018.08.07
頭髮
2018.08.07
詩／丸山　成美
掉頭髮
感覺自己
生而為人好像得到肯定了。

啊，
我看了喔，
那個網站。
丸山妹妹～
關於下週五的新幹線啊，
啊，是的。
靠走道對吧？
對，沒錯沒錯，
真了解我，
不愧是丸山妹妹。
我訂好就拿過來。
謝啦。
課長，這份文件有些地方漏掉了。
欸，真的嗎？傷腦筋。
我已經幫您補上，您只要檢查就好了。
哦～得救了。
真不愧是丸山妹妹，
沒有。
真是太可靠了。

聽說……喔
好像是……
欸——
騙人——
真的嗎？
呵呵呵
虧我還很喜歡他說，居然和那麼年輕的偶像交往，真下流。
很下流對吧？
哈哈哈

廣瀨先生，
這是會計資料和請款單，
麻煩你了。
好的。
嘟嘟嘟嘟嘟
廣瀨
今日
今天能見面嗎？
15:01
今天能見面嗎？
15:01
當然可以！

広瀬
501
叮咚——
啊，歡迎。
呵呵，我帶了蛋糕來喔。
這是佐藤小姐
在公司附近買的，說是要幫我慶祝。
就是那家紫色招牌的店……你去過嗎？
沒有……
我猜你可能不是那麼喜歡甜食，但是有比較不甜的抹茶口味，所以我就選了那個。
而且小小一個好可愛，另一個是佐藤小姐推薦的口味……
這個
我看了，
恭喜妳。
啊……嗯。
謝謝。

寫得很好，
我覺得……妳寫得非常好，真的喔。
是真的……
我認為妳能做自己想做的事，還能受到世人的肯定，是一件很了不起的事。
我想支持妳做妳想做的事，
也想與妳分享妳的喜悅，
這是我的真心話喔。
我真的這麼想……
可是……
對不起。

我希望……
妳不要
再這麼做了。
咦？
希望妳不要再把我們之間那些私密的事，和我個人的事，
寫進作品裡。
抱歉，對寫詩的人提出這種要求是一件很殘酷的事，
我也知道可能是我不對，
真的很抱歉。
可是，
可是我我真的沒辦法承受這一切。
妳接下來還會寫出更多作品，
別人也願意發表妳的作品，
表示妳一定有這方面的才華，
有一天妳甚至會出書也說不定。

到了那個時候，
自己的人生被不認識的人窺探，
在不認識的人手中傳來傳去，
我不認為自己可以承受。
抱歉，
我不是
那種可以
站在別人面前，
向別人袒露自己人生的人。
公司的同事看到這首詩，
肯定會知道那個人就是我。
我雖然不覺得和妳交往的事見不得人，
但是我
非常不喜歡自己和自己重視的人
變成別人口中茶餘飯後的話題。
我非常不喜歡這樣，
我想我
肯定是個
Anemone.
非常自卑、
非常膽小的人。
抱歉。
真的……
很抱歉。
Anemone.

不對……
不對不對，
不對不對不對。
對不起，
是我該說
對不起，
真的很抱歉！
是我不好，
全都是我不好。
對不起，
我完全沒有
注意到……
沒錯，
我
只顧著
自己，
什麼也沒發現。
怎麼會這樣……
真的非常抱歉。
我作夢也沒想到可能
會傷害到你……
怎麼辦？
我……
不是這樣的。
或許是我配
不上妳，
才會說出這麼
自私的話。

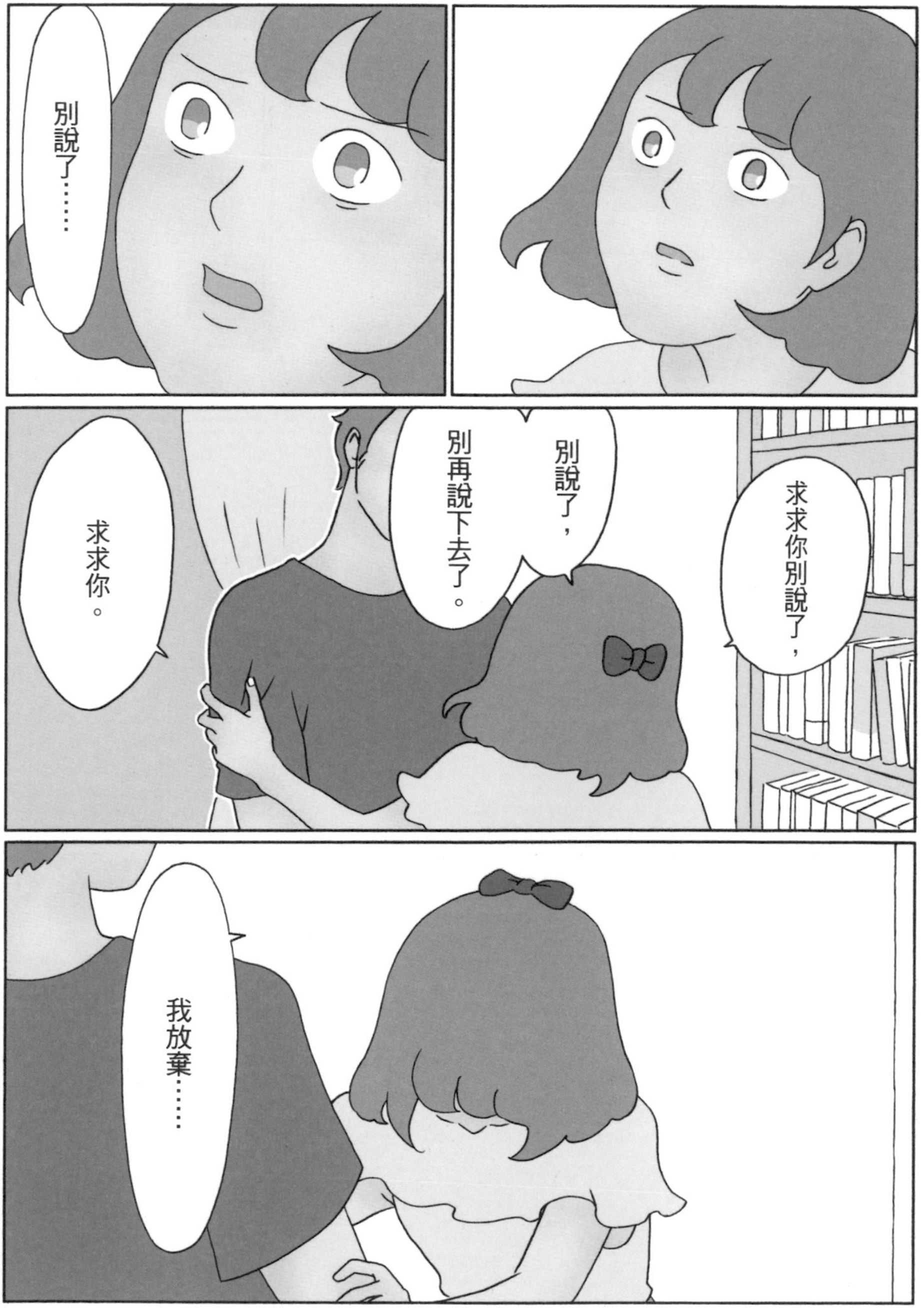
別說了……
求求你別說了，
別說了，別再說下去了。
求求你。
我放棄……

我要
放棄寫詩。
我不會再寫詩了，
再也不寫了。
我不是要妳放棄寫詩，
只是別把我的事……
不寫了。
要是繼續寫下去，
肯定又會再發生同樣的事。
所以我不寫了。
比起詩，
我更不想失去你。
我無法忍受
沒有你的人生。

所以拜託你，
別再說了。
嗯……
沙

抱緊
沒錯，
広瀬
501

這樣就好了。
會寫詩又怎樣？
別再作幼稚的夢了，
我寫的那種
笨拙的詩能起
什麼作用？
就算被人看到，
就算能傳遞什麼，
きっぷうりば

還以為這樣
就能變成自己
喜歡的人？
就能與別人互相
理解？
別開玩笑了。
連傷害到心愛的人
都沒有發現，
一個人得意忘形，
簡直是傻瓜。
我
只要和心愛的
人在一起，
努力工作，
有朝一日生兒育女，
過著幸福的生活，
跟大家一樣。
偶爾全家人一起
去旅行，
有說有笑地過日子，
跟大家一樣。

這樣就好了，
這就是我的
幸福，
只要能和那個
人一起。
再也沒有比
這個更重要的事。
他就是
他就是我的全部。

啊，丸山妹妹，辛苦了。
啊，妳們也辛苦了。
上次提到的那家鬆餅店啊，
用這個APP可以打折喔，
要不要今天就去吃？
欸！好棒噢！
我要去！
哇！
好好吃！
おいしーよ
Cafe
B1
如何？
很好吃吧？

前些日子啊，我和同事來吃過！
因為實在太好吃了，我想讓廣瀨先生也嚐嚐。
如何？
嗯，很好吃。
對吧？呵呵呵。
啊，好好吃。
好幸福！
啊，佐藤小姐回覆了，
人家剛才傳了鬆餅的照片給她。
那家店是不是在表參道上？
14:11
我就在附近！
14:11
要碰面嗎？
14:11
あ
か
た
な
欸──佐藤小姐說她就在附近！
他問我們可以碰面嗎？
啊，抱歉，我得去參加親戚的聚會。
啊……這樣啊。
妳自己去吧。

嗯，
我知道了！
再見
啊，佐藤小姐嗎？
廣瀨說他有事……
我一個人過去，
我現在在地下鐵的出口……
好，那我直接過去……
這裡——
哇！好棒！好漂亮的店！
呵呵呵，很時髦對吧？

話說回來，
怎麼這麼巧？
難得的假日居然剛好碰到一起了！
就是說啊。
怎麼了嗎？
咦？
什麼也沒有啊！
是嗎？
我男朋友也在喔，
正好我也想安排你們見面。
我去一下洗手間，
他在後面的座位，
妳先過去。
好！
你好，
打擾了……

啊，
懶懶。
你好，初次見面，
我是高田。
妳不坐嗎？

為……
為什麼？
嗯？
為什麼……你可以
在這種人來人往的地方這麼放鬆？
咦？
很奇怪嗎？
那……
如何？
想喝什麼？
請問……

你為什麼
你為什麼可以大搖大擺地原形畢露？
不行嗎？
不是不行……
可是那樣不就和普通人不一樣嗎？
什麼是……
普通人？
普通人就是普通人，
這可是一般常識。

因為我不是普通人，所以才會無所適從；因為我不是普通人，所以大家才不喜歡我；因為我不是普通人
才無法得到幸福。
所以……所以……所以我總是提心吊膽，總是配合別人，總是偽裝自己，因為如果不這麼做，
如果不這麼做，
我不知道該怎麼活下去。
我好迷惘。

懶懶，
這個世界上
沒有半個普通人。

所謂普通人
根本不存在喔。
別把根本不存在的幻覺，
當成開啟幸福的鑰匙喔。

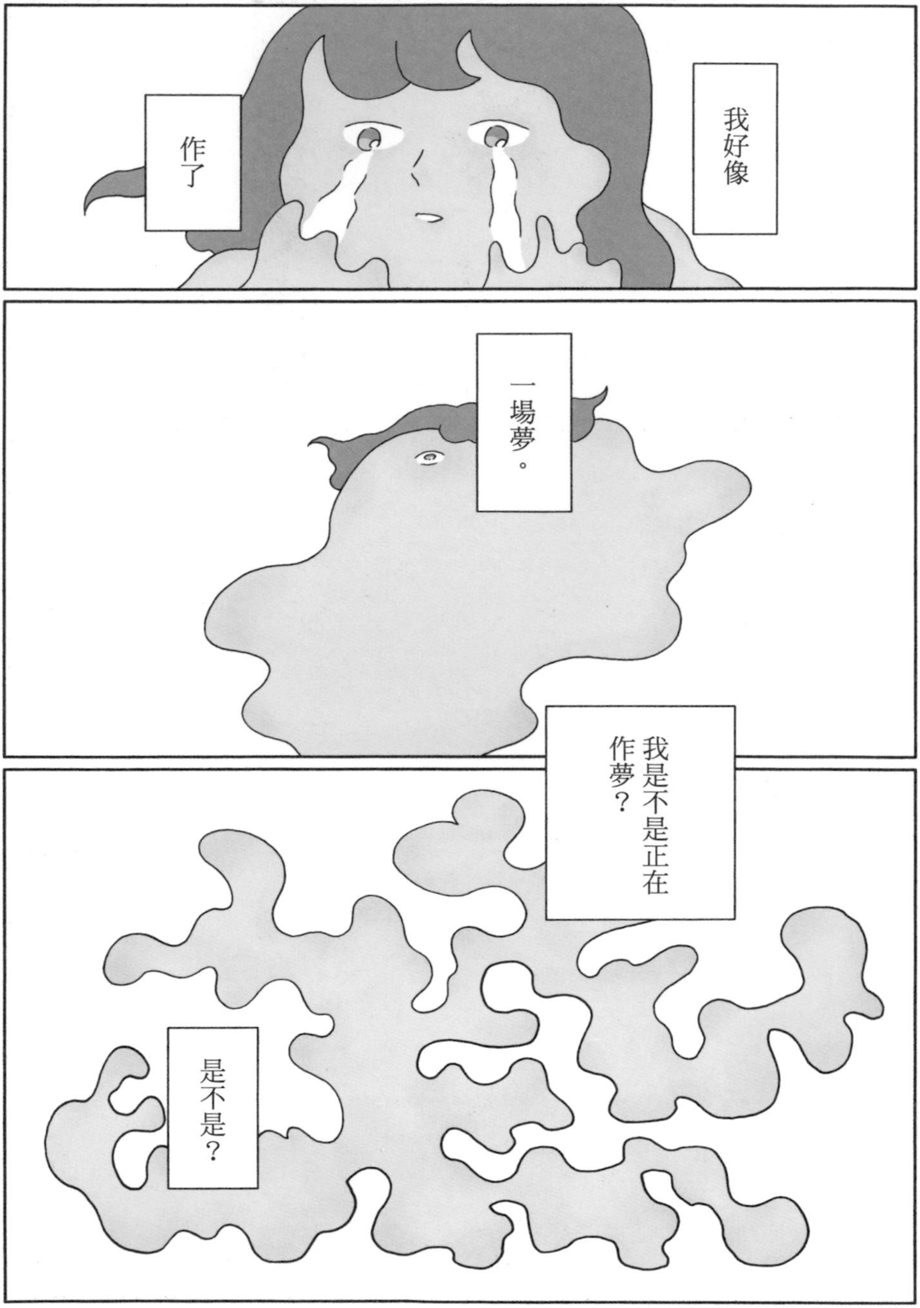
我好像
作了
一場夢。
我是不是正在作夢？
是不是？

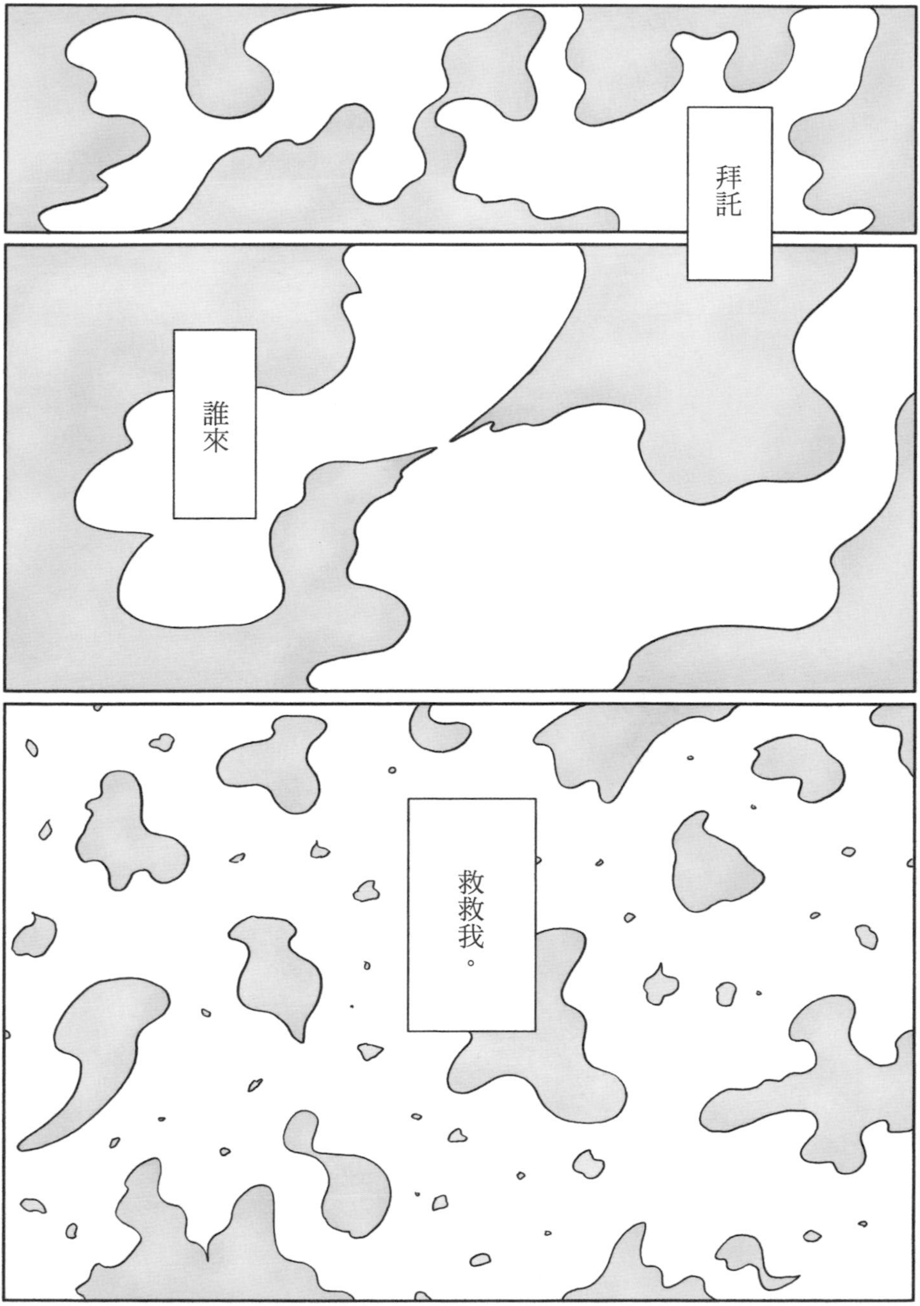
拜託
誰來
救救我。

うどん

久等了。
畫展很精彩呢。
很精彩。
你對繪畫很有研究呢。
只是喜歡欣賞。
這樣啊。
嗯。
太好了，
能跟妳一起看。

嗯，謝謝你約我，
我也很開心。
我啊，
還在寫詩。
嗯。
擅自把你寫進詩裡，
真的很抱歉，我絕對不會再犯同樣的錯誤。

可是啊，我
還是決定要繼續寫。
我認為寫詩是為了我自己。
分手吧。

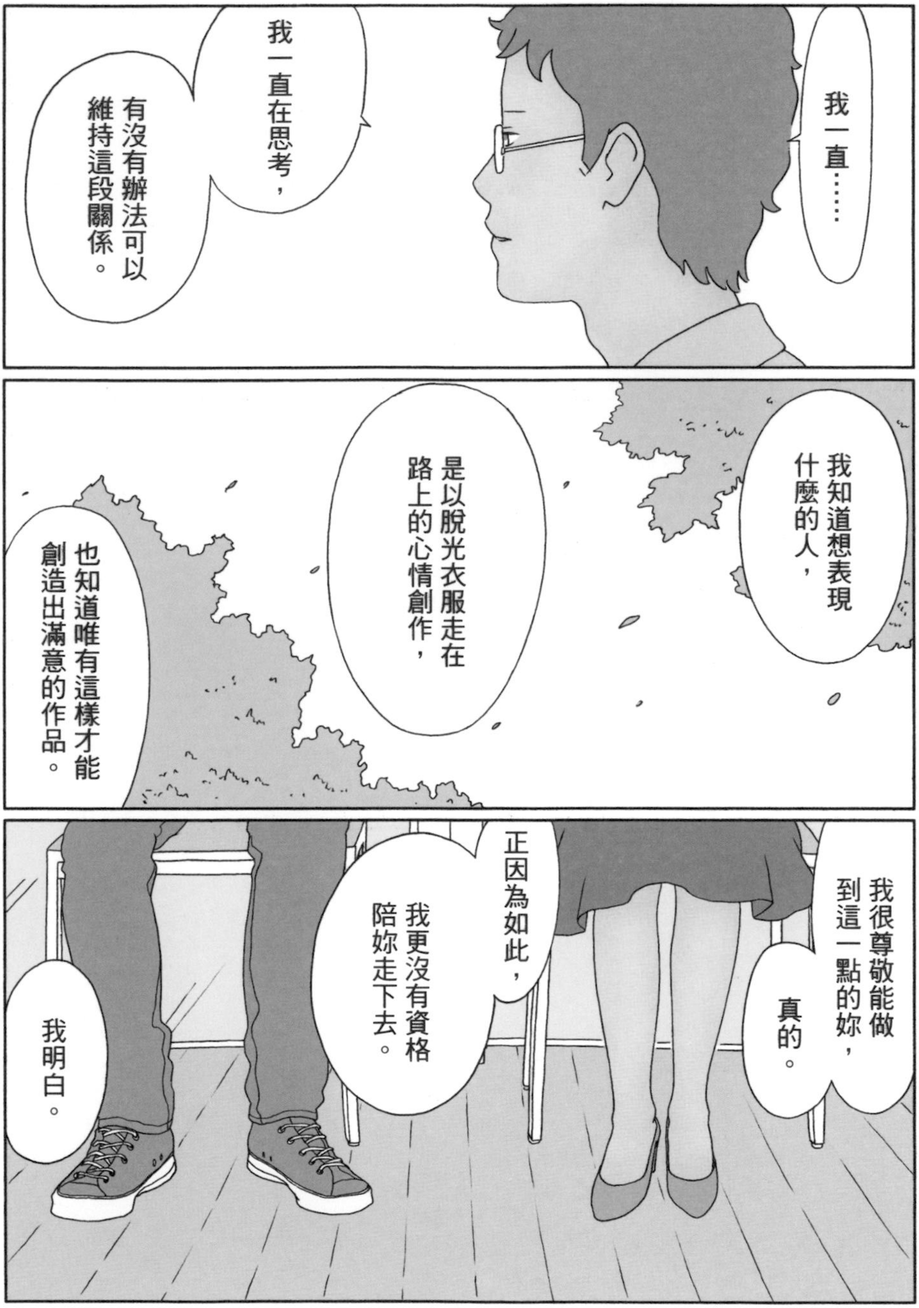
我一直……
我一直在思考，
有沒有辦法可以維持這段關係。
我知道想表現什麼的人，
是以脫光衣服走在路上的心情創作，
也知道唯有這樣才能創造出滿意的作品。
我很尊敬能做到這一點的妳，
真的。
正因為如此，
我更沒有資格陪妳走下去。
我明白。

我很軟弱，
我無論如何
都無法戰勝
內心深處的自卑感。
真的很抱歉。
我也是……
我也一直在思考，
到底該怎麼做才好。
我想和你在一起，
想和你一起得到幸福，
為了得到幸福究竟怎麼做才對，
我終於想通了……

認為自己能讓你得到幸福，
這種想法根本是一種傲慢。
我能力所及的……
只有讓自己得到幸福，
如此而已。
只有我自己
能讓自己得到幸福。

讓誰得到幸福根本是遙不可及的夢想。
所以，我想繼續寫詩，
為了我自己。
每次……
每次妳故意笑得很開心、表現出幸福的模樣時，我的心都會痛得快要裂開，
覺得害妳必須強顏歡笑的自己可惡得不得了。
妳現在的表情真的很迷人。
所以，
所以……我……
嗯，
謝謝你。
謝謝。

那天晚上
我們去一家小餐廳吃飯，
天南地北聊了很多無關緊要的話題。
雙方都笑得很平靜，
像是在祝福彼此的人生，
流露出充滿友誼的溫暖笑容。
我想
這種體貼至極的友誼
比任何愛情都要崇高，
或許將成為人生中最珍貴的寶物。

再見……
嗯。
好溫暖，
這份溫暖會把我
拖入充滿欲望與執著的泥沼。
但是

再見了……
嗯。
天空很高，
街道很亮，
世界很美，

我
自己就可以
溫暖自己，
自己就可以
擁抱自己，
如果
這
不是希望是什麼呢。

恭喜你們！
哎呀懶懶
妳怎麼哭成這樣？
因為我實在忍不住嘛……
人家第一次參加這麼棒的婚禮……
實在太感動了……
佐藤小姐真的……
真的好漂亮……
啊哈哈，謝謝妳，
也去跟高田說幾句話吧。

嗨，懶懶。
今天謝謝妳來。
高田先生，你今天打扮得很正式呢。
我也沒想到結個婚居然這麼麻煩。
我快不行了。
癱
振作一點！
不可以在這種場合露出本性啦！
哈哈哈。
沒關係啦！像我這種人
其實到處都是，出乎妳的意料喔。

哈哈……
哈哈哈哈哈。

丸山小姐，
我問妳喔，那個啊，
那個跑到哪裡去了？
那個啊……
哦，
如果是上禮拜的會議資料，
我已經整理成檔案放在那邊了。
是喔，
不好意思，
謝啦。

小野先生，
你又沒日沒
夜地工作了，
該不會又忘記
吃午餐吧？
啊！
咕——
難怪我肚子
這麼餓……
我剛好
要出去，
順便幫你買點
吃的回來吧。
不好意思……
謝謝妳。
不客氣。
請到一個這
麼能幹的人
真是太好了。
嗯
我們家雖然是
出版社，
但出的都是
字典或學術書，
所以都是
一些怪胎，
有人辭職
就是因為
跟想像中的出版社不一樣。

所以我真的很感謝妳願意來上班，
要妳照顧他們真不好意思。
別這麼說，
我也是怪胎。
才不會，哈哈哈。
不過，能在我們這裡如魚得水的人恐怕真的是怪怪的喔。
呵呵。
短歌
詩
翻開
詩
ゆうパック
詩
と
丸山成美

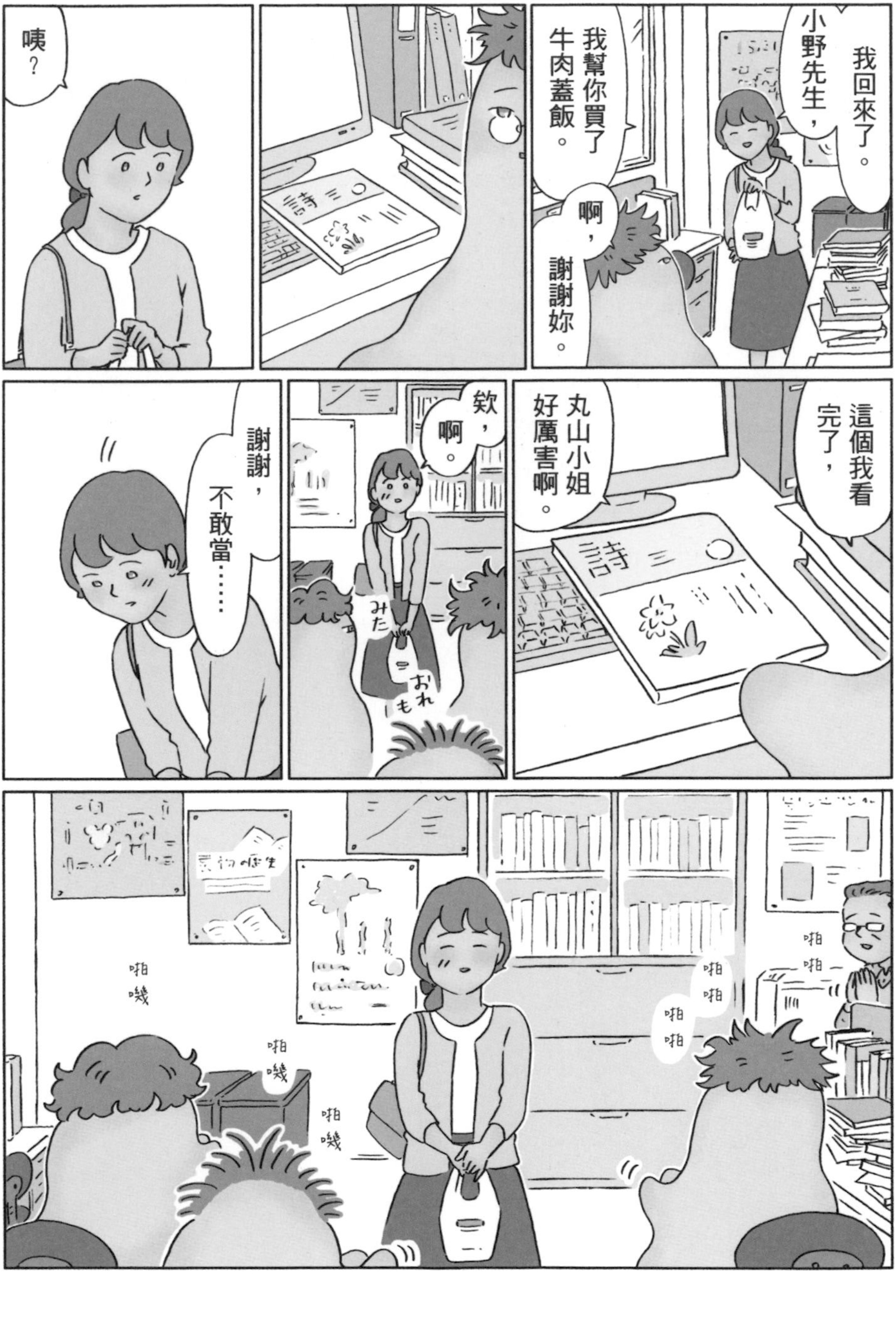
我回來了。小野先生，
我幫你買了牛肉蓋飯。
啊，謝謝妳。
咦？
這個我看完了，
丸山小姐好厲害啊。
欸，啊。
みた
おれも
謝謝，不敢當……
啪啪
啪啪
啪啪
啪嘰
啪嘰
啪嘰

原來如此。
太好了，進了一家好公司。
對呀，工作內容跟以前其實沒什麼太大的差別，
但是待起來很舒服，
再加上……
可以讓我覺得原本的自己也不錯，
這麼一來就連擬態也不覺得痛苦了。
因為擬態之後的樣子也是我本人……
擬態……？
沒，
沒什麼。
今天我來
是有件事要跟妳報告。

我
我懷孕了。
我真的作夢也沒想到
自己還能懷孕。
所
所以……
人的一生

會發生許多作夢也想不到的意外，
痛苦與絕望也會纏著我們不放。
走在漫長的人生路上
一定能看到希望，
一定能等到
幸福降臨。

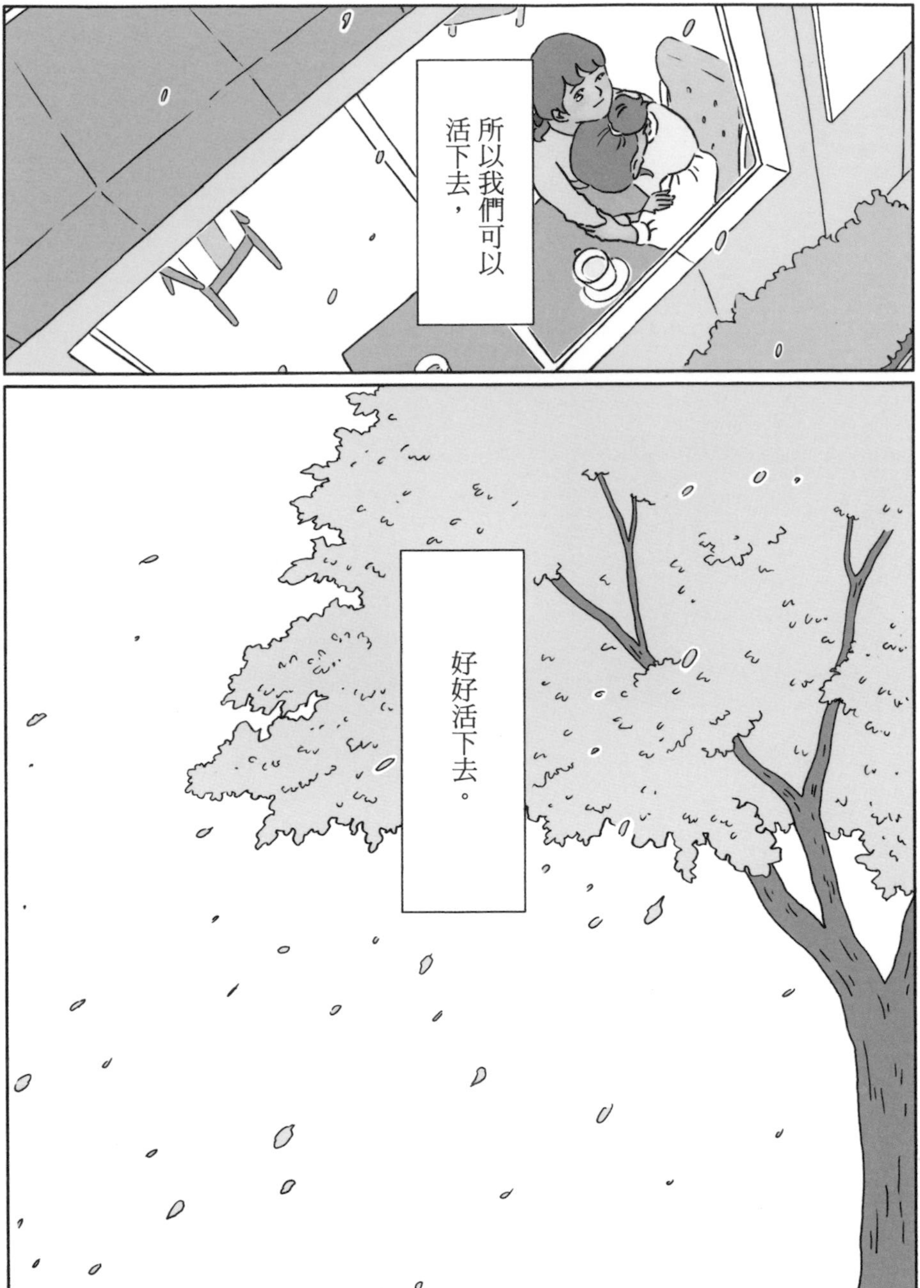

—完—

文學森林 LF0123

懶懶 2

ダルちゃん②

作者

陽菜檸檬（はるな檸檬）

一九八三年出生於宮崎縣。漫畫家。二〇一〇年以描繪寶塚劇迷日常生活的《ZUCCA×ZUCA》出道。此外還有描寫自己讀書心得的《檸檬的閱讀手札！》（れもん、よむもん！）、描寫自己生產經驗的《檸檬的生產筆記！成為母親》（れもん、うむもん！）、描繪夫婦一起變成寶塚劇迷的漫畫《琢磨與花子：某一天，老公突然迷上了寶塚!?》（タクマとハナコ ある日、夫がヅカヲタに!?）等作品。

譯者

緋華璃

不知不覺，在日文翻譯這條路上踽踽獨行已十年，未能著作等身，但求無愧於心，不負有幸相遇的每一個文字。

封面設計　COSTA MESSA（日本原版設計）
版面構成　陳恩安
內頁排版　黃雅藍
責任編輯　李佳翰
行銷企劃　楊若榆
版權負責　李佳翰、陳柏昌
副總編輯　梁心愉

初版一刷　二〇二〇年三月四日
定價　新台幣二六〇元

ThinKingDom 新経典文化
發行人　葉美瑤
出版　新經典圖文傳播有限公司
地址　臺北市中正區重慶南路一段五七號十一樓之四
電話　02-2331-1830
傳真　02-2331-1831
讀者服務信箱　thinkingdomtw@gmail.com

總經銷　高寶書版集團
地址　臺北市內湖區洲子街八八號三樓
電話　02-2799-2788　傳真　02-2799-0909

海外總經銷　時報文化出版企業股份有限公司
地址　桃園市龜山區萬壽路二段三五一號
電話　02-2306-6842　傳真　02-2304-9301
